CW00519983

Dedicado a Juanita, Santi y a mis abuelos... compañeros de viaje.

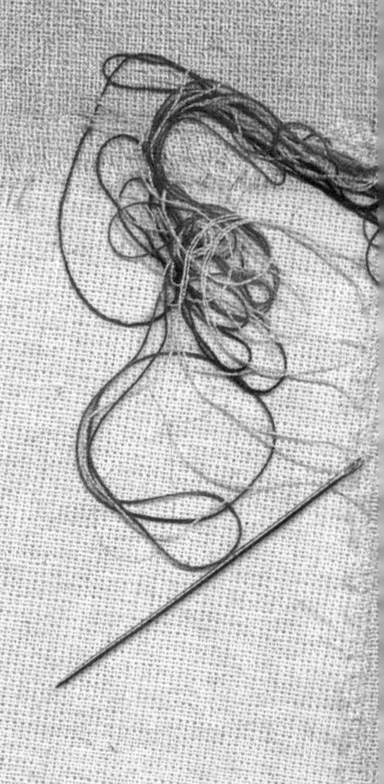

"El absurdo no tiene fin."
Robert Crumb.

DISEÑO: CHRISTIAN ARGIZ
SOBRE BORDADOS REALIZADOR POR EL AUTOR.

Liniers
Macanudo 3.- 13ª. ed.- Buenos Aires : Ediciones de la Flor, 2016
96 p. ; 19x19 cm.

ISBN 978-950-515-775-4

1. Humor gráfico argentino I. Título
CDD A867

Decimotercera edición: marzo de 2016

© 2006 *by* Ediciones de la Flor S.R.L.
Gorriti 3695, C1172ACE Buenos Aires, Argentina.
www.edicionesdelaflor.com.ar

Hecho el depósito que dispone la ley 11.723
Impreso en la Argentina
Printed In Argentina

Prólogo

Admito que cuando apruebo algo, o acuerdo con alguien, diciendo "macanudo", me siento irremediablemente antiguo. Los jóvenes me miran con una suerte de perplejidad, como si yo les comentara la visita del Graf Zeppelin o les recordara la gaseosa frescura de la Bidú. Pero algo está cambiando, camaradas.

Es que Liniers desconcierta. Empezando con su apellido que llega desde el fondo de nuestra historia, ya que no dudo de que es descendiente directo del Virrey del mismo nombre, fusilado en Córdoba en 1810. Si los pueblos tienden a repetir sus conflictos temo que éste, el Liniers dibujante, termine fusilado por algún lector definitivamente hinchado las pelotas ante el terco e inexplicable mutismo del sublime osito Madariaga. Y me consta que los lectores de Liniers pueden llegar a tales extremos porque mi hijo Franco -- que adora la tira-- es capaz de pasar del amor al odio con asombrosa versatilidad.

Cuando leo a este artista posmoderno y globalizado (nada más globalizado que la historieta, con globitos casi en cada cuadro) paradójicamente, retorno a mi infancia. Porque *Macanudo* tiene un espíritu y una estética mágicamente aniñada. Aparecen personajes infantiles como el gato Fellini, Oliverio la Aceituna, la vaca cinéfila (lo que confirma mi sospecha de que el autor es propietario del Mercado de Hacienda) y hasta pingüinos que deben apelar a ideas estrafalarias para superar el incorregible aburrimiento de la Antártida. Yo podría afirmar --y, de hecho, valientemente, lo afirmo-- que el estilo de Liniers es ingenuo. Pero ¡cuidado! desprevenido viandante, es la primaria ingenuidad del león que se morfa una gacela. Disfrutemos de su aparente candidez, pero sin acercarnos demasiado a su territorio, ya que en Liniers habita un sanguinario depredador del *comix*.

No obstante, sólo tengo agradecimiento para este visceral dibujante argentino. Gracias a su escandaloso éxito, ahora, cuando su pléyade de imberbes admiradores me escucha decir "macanudo", me acepta, como si yo fuera un componente más de esa juventud casquivana y dicharachera.

Fontanarrosa.

HOY-CÓMO SE HACE UN DUENDE
POC

POC
POC
POC
POC
TENEMOS A NUESTROS MEJORES HOMBRES TRABAJANDO, PERO NADA ESTÁ DANDO RESULTADO...

UH, UUH. UUUUH.
UH... TONTOOO... TONTO...
¡¡PUEDE DEJAR DE MOLESTAR!!
JA, JA, JA... ESTÁ USTED EN MI PROGRAMA CON CÁMARAS ESCONDIDAS ¡JA! VE, AHÍ HAY UNA CÁMARA... Y AHÍ HAY OTRA ¡JA, JA!
¿POR QUÉ CREE QUE ES GRACIOSO HUMILLAR PÚBLICAMENTE A UNA PERSONA? ¿CUÁL ES SU PROBLEMA?
ES QUE CAREZCO DE AUTOESTIMA Y SOY UN IDIOTA.
SNIF
BUUHU HUUU
PERO ESTO NO PASA CASI NUNCA... LÁSTIMA

EL HOMBRE QUE PEDÍA PERDÓN POR TODO...
PERDÓN.
PERDÓN.
PERDÓN.
PERDÓN
PE...
PERDÓN.
...NO ERA MUY FELIZ...
PERDÓN.

AU REVOIR.
OTRO DÍA RARO PARA GÓMEZ.

ENCONTRÓ UN AMIGO, Z-25, EL ROBOT SENSIBLE
ENCONTRÓ UN PAJARITO...
RIIIIDIIII, PAGLIACCIOOO
... SENSIBLE.

ESTUVE PENSANDO Y REFLEXIONANDO SOBRE TEMAS DE ÍNDOLE EXISTENCIAL Y HE LLEGADO A CONCLUSIONES MARAVILLOSAS.
POR EJEMPLO... PIENSO, LUEGO EXISTO.
Y LUEGO DE QUE EXISTÍS... ¿QUÉ?

HOY: EL SEÑOR QUE TRADUCE LOS NOMBRES DE LAS PELÍCULAS.
HE DECIDIDO AMPLIAR EL CAMPO DE MI TRABAJO.
CREO QUE EL MUNDO LITERARIO TAMBIÉN PUEDE BENEFICIARSE CON MI TALENTO.
POR EJEMPLO: EN VEZ DE "HAMLET"... "TRAICIÓN MORTAL" O "EL PRÍNCIPE SE VOLVIÓ LOCO".
EN VEZ DE "MOBY DICK"... "PERSECUCIÓN EN ALTA MAR" O "TRAS LA BALLENA ASESINA".
BUENOS TÍTULOS, ¿EH? Y NI SIQUIERA TUVE QUE LEER LOS LIBROS.
ALQUILÉ LOS DIVIDIS.

¿CÓMO SE LLAMABA ESE SEMIÓLOGO POSTESTRUCTURALISTA FRANCÉS TAN FAMOSO?
MMMM...
AH... LO TENGO EN LA PUNTA DE LA LENGUA.
DEMUÉSTRELO.
ROLAND BARTHES.

CARLITOS... ES LA ÚLTIMA VEZ QUE TE LO DIGO.
¿EN SERIO?
SÍ... EN SERIO...
¿EN SERIO, EN SERIO?
TE DIJE QUE SÍ.
PERO, ¿EN SERIO, SERIO, SERIO?
POR SUPUESTO, PARA LOS CHICOS ES MÁS DIFÍCIL SABER CUÁN ENOJADAS ESTÁN SUS MADRES EN LA ERA DEL BOTOX.

ALGO TRAMABAN... EL BRAULIO LO SABÍA.
PERO... ¿QUÉ?

YO LA QUIERO ASÍ DE MUCHO, TERESITA...
BAH... MÁS TODAVÍA ¡ASÍ LA QUIERO!
UY.
OPS...
¿DIJISTE ALGO LORENZO?
NO.

YA SERÍA EL TURNO DE LOS DEMÁS... POR AHORA, LA PUBERTAD SÓLO LE HABÍA LLEGADO A MIGUELITO.

YAAAARGH.
TOIN
¡¿PUEDEN DEJAR DE HACER ESO?!
9.5

LA ROPA QUE USO ES PARA EXPRESAR MI INDIVIDUALIDAD, VISTE...
LA ESENCIA DE MI PERSONALIDAD
¿LA DISEÑASTE VOS?
NO.
¿LA COSISTE, ENTONCES?... ¿LA HICISTE CON TUS MANOS?
NO.
PERO, LOS COLORES, LA MANERA EN QUE LOS COMBINÁS, SEGURO QUE SE TE OCURRIÓ A VOS...
NO... EH... LOS VI EN UNA REVISTA.
BUENAS...

AHÍ VA...
HEROICA...
HACIENDO ENOJAR A MÁS DE UNO...
¡¡IAAJUUAAA!!
ES LA GOTA QUE REBASÓ EL VASO

¿DEMASIADA TELEVISIÓN? PUEDE SER...
PERO, A VECES, ALGUNO VUELVE A USAR LA IMAGINACIÓN.

AHÍ VAN DOS PINGÜINOS.
AHÍ VUELVEN DOS PINGÜINOS.
AHÍ VAN DOS PINGÜINOS.
SUSPENSO.
AHÍ VUELVEN DOS PINGÜINOS.

NO SABÉS QUÉ TRISTE.
HOY A LA MAÑANA VI UN RATONCITO MUERTO.
Y ME HIZO PENSAR EN QUE ACÁ ESTAMOS UN RATO NOMÁS.
Y QUE ESTO ES UN VIAJE.
MADRE DICE QUE LO IMPORTANTE ES ELEGIR BUENOS COMPAÑEROS DE VIAJE.
MERCI.

¡CIEN! PUNTO Y COMA. EL QUE NO SE ESCONDIÓ SE EMB...
¡PIDO!

¡COSO AMARILLO!
¡COSO AZUL!
¡TANTO TIEMPO VIEJO!... ¿CÓMO ANDA?
BIEN, BIEN... POR SUERTE, BIEN.
¿LA FAMILIA?
BIEN, BIEN.
HACE MUCHO QUE NO SE VEÍAN Y LA AMISTAD YA NO ERA LA MISMA...

VISTE LA CANTIDAD DE CASUALIDADES QUE SE TIENEN QUE DAR PARA QUE DOS PERSONAS SE CONOZCAN Y SE ENAMOREN.
IMAGINATE LA CANTIDAD DE CASUALIDADES QUE HABRÁN OCURRIDO PARA QUE TOOOOOOODOS TUS ANTEPASADOS SE HAYAN CONOCIDO Y ENAMORADO.
Y NI HABLAR DE LAS GUERRAS, PESTES, INVASIONES, REVOLUCIONES, ETC. QUE TUVIERON QUE AFRONTAR Y SOBREVIVIR PARA QUE VOS NAZCAS.
¡UN VERDADERO MILAGRO ESTADÍSTICO!
ENTONCES ME COMPRÉ UN BILLETE DE LOTERÍA.
¡REPÁMPANOS!

"¡¿DUENDES FLOTADORES?!"
"EL TEATRO DE REVISTA YA NO ES LO QUE ERA ANTES", DECÍAN ALGUNOS

LORENZO Y TERESITA
LORENZO... ENCUENTRO TU AMOR UN POCO CONSTRICTIVO.

POR SUPUESTO, TODOS LOS DÍAS ALGUIEN DEJA FLORES EN EL "MONUMENTO AL POLÍTICO QUE NO ES MILLONARIO."

¿TE DAS CUENTA MADARIAGA? NO HICIMOS ABSOLUTAMENTE NADA EN TODO EL DÍA.

Y, CLARO, PARA VOS ES FÁCIL... PERO YO SOY AMATEUR.

¿QUÉ LEÉS ENRIQUETA?
UN DICCIONARIO... YA VOY POR LA 'C'.
¿PARA?
PORQUE CUANDO YO PIENSO, PIENSO EN PALABRAS.
ENTONCES, MIENTRAS MÁS PALABRAS SEPA, MEJOR VA A SER LA CALIDAD DE MIS PENSAMIENTOS.
ME AYUDA A COGITAR MEJOR, VISTE...

¡QUÉ GUSTO VERTE, VIEJO!
¡TANTO TIEMPO!

AYER MADRE ME HIZO VER UNA PELÍCULA DE UN SEÑOR QUE SE LLAMABA CHAPLIN.
QUE USABA UN BASTÓN Y UN SOMBRERO Y TENÍA UN BIGOTITO.
Y EN UNA PARTE SE LO TRAGA UNA MÁQUINA. Y EN OTRA PATINA VENDADO. JÁ.
LA PELÍCULA ERA VIEJÍSIMA ... DEL SIGLO PASADO.
¡Y MUDA!
IGUAL TE REÍS TODO EL TIEMPO.
UN GROSSO, CHAPLIN.

¿LORENZO?
¿SÍ TERESITA?
¿HACE CUÁNTO QUE ESTAMOS JUNTOS?
CUATRO AÑOS.
A LO MEJOR DEBERÍAS DEJARTE EL BIGOTE.
SÓLO SI USTED SE TIÑE DE NARANJA.

PRIMERA LECCIÓN EN LA UNIVERSIDAD DE CONTADORES DE CHISTES.
DICE QUE...
DICE QUE

HOY ~ EL HOMBRE MÁS EXAGERADO DEL MUNDO JUEGA AL PING-PONG.
POC
POC
POC
AAAAAA

CARAVAGGIO (1573-1610) GRAN MAESTRO DEL CLAROSCURO EN EL NATURALISMO BARROCO PASA UNA TEMPORADA EN EL INFIERNO...
¡PIETÀ! ¡PER FAVORE!
BUENO, ENTONCES PINTAMOS CON BRILLANTINA UNOS CORAZONCITOS EN LAS ALITAS DE LOS ANGELITOS... BUENO, DESPUÉS...
... DONDE, POR SUPUESTO, DAN "MUNDO BRICOLAGE" LAS 24 HS.

¡PAJARITO!
YA ESTOY LISTO PARA SALIR.

SNIF

UN ASCO.
VISTE...
RÁPIDO, OLÉ ESTE RÓBALO.

Y CUANDO LA CANCIÓN ESTÁ LISTA.
A ALGUNOS LES GUSTA.

Lorenzo y Teresita
¿Y SI ALQUILAMOS ESTA DE ZOMBIES EN MOTOS?
NO... ALQUILEMOS ÉSTA CON CHUCK NORRIS.
UH... YA SÉ ¡ÉSTA!
DICE EN LA CAJA QUE COSTÓ 200 MILLONES HACERLA ASÍ QUE NO PUEDE SER MALA.
Y ES EN EL FUTURO.
¡¡EL FUTURO!!
O ÉSTA... "UN AGENTE DEL F.B.I. DEBE DESBARATAR UNA BANDA DE TRAFICANTES... ¡EXTRATERRESTRES!"
¿"SENSATEZ Y SENTIMIENTOS"?
Y DESPUÉS...
PERO SI EMMA THOMPSON AMA A HUGH GRANT... ¡QUE SE LO DIGA! ¡¡¡QUE SE LO DIGA!!!

EL VERDULERO NO DABA CRÉDITO A SUS OJOS... "¡UN DUENDE!"
EL PLAN ESTABA SALIENDO A LA PERFECCIÓN

SUCEDIÓ ESE DÍA...
¡PRECIOSA!
EL FIN DE LA "ERA DEL LABIO SALCHICHA"

EL REBAÑO LLEVA SU PASIÓN POR LOS DEPORTES EXTREMOS DEMASIADO LEJOS

UNA VEZ QUE EL POLLO ESTÁ EN LA CACEROLA...
SE AGREGA UNA PIZCA DE ORÉGANO.
PIMIENT...
PI PI
PI

Hoy Lorenzo y Teresita
¿POR QUÉ CORREMOS ASÍ, DE LA MANO?
ES NUESTRA MANERA DE EXPRESAR LA PROFUNDIDAD DE NUESTRO AMOR...
LE ESTA SUDANDO LA MANO ¡QUÉ ASCO!

Las verdaderas aventuras de Liniers

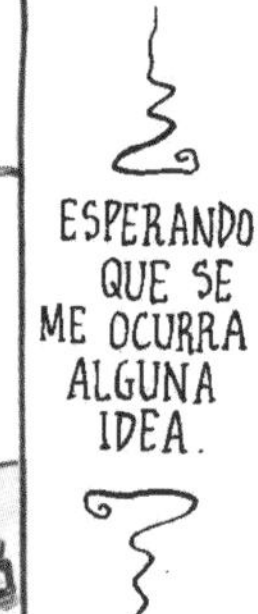
ESPERANDO QUE SE ME OCURRA ALGUNA IDEA.

¡¡TKKK!!
@#☆!
Z-25, EL ROBOT SENSIBLE, SE ESCAPA UN RATO.

TODO EL MUNDO QUIERE SER FAMOSO. ¿VISTE, FELLINI?
EN TELEVISIÓN HAY GENTE DISPUESTA A CUALQUIER COSA CON TAL DE SER FAMOSA.
ES COMO UNA ENFERMEDAD QUE TODOS QUIEREN AGARRARSE
ESPERO QUE YO SEA INMUNE.
DICEN QUE AFECTA, PRINCIPALMENTE, EL CEREBRO...

CON RAZÓN SENTÍA UN CHIFLETE...

"USTEDES QUIEREN FAMA, PERO LA FAMA CUESTA Y AQUÍ ES DONDE EMP..." Y EN ESE MOMENTO SE DESCONCENTRÓ EL DUENDE BENJAMÍN.

ALGO ATURDIDO Y CON RESACA, RAIMÚNDEZ ABRIÓ LOS OJOS... "QUÉ NOCHECITA" LLEGÓ A PENSAR ANTES DE DARSE CUENTA DE QUE NO ESTABA EN SU DEPARTAMENTITO DE VILLA URQUIZA... NO SEÑOR, ESTO NO ERA VILLA URQUIZA PARA NADA

URDAPILLETA, EL SEÑOR DE LAS TEORÍAS DESCABELLADAS.
¡ESTUVE PENSANDO ÚLTIMAMENTE!
¿EN QUÉ?
¿VIO TODOS ESOS PROGRAMAS QUE TIENEN GENTE FUERA DE CÁMARA A LA QUE LE PAGAN POR REÍRSE DE TODOS LOS CHISTES?
SÍ.
PUES YO POSTULO QUE...
REDOBLE DE TAMBORES.
GRATIS, NO SE REIRÍAN.
HMMM, INTERESANTE...

VIVO SEGÚN MIS REGLAS

CAMINA POR AHÍ
MIRANDO, MIRANDO.
DE REPENTE SE EMOCIONA PROFUNDAMENTE POR EL VAIVÉN DE LAS RAMAS DE UN ÁRBOL
"DEBO TENER ALGÚN PROBLEMA" PIENSA

SÍ, ME TEMO QUE TIENE CARIES....

¿DE QUÉ ESTÁ HECHO Z-25, EL ROBOT SENSIBLE?

¿¡LUZ!?

CUÁN MISTERIOSO...

A VECES LA QUIERO Y A VECES LA ODIO, TERESITA...
YO A VECES TE ODIO Y A VECES TE QUIERO, LORENZO...

LORENZO y TERESITA

¿VAMOS AL CINE?
MI CORAZÓN EXPLOTA DE ALEGRÍA...

TERMINÓ LA PELÍCULA ¿VAMOS?
PERO, ¿QUÉ PASA SI PONEN ALGO AL FINAL DE LOS CRÉDITOS?
A VECES PONEN ALGO AL FINAL DE LOS CRÉDITOS.
NO... NO PUSIERON NADA.
LORENZO Y TERESITA

POC
A MÍ NO ME MIRES... FUE MADARIAGA.

N. DEL A. POR ALGUNA RAZÓN HE DECIDIDO DIBUJARME CON OREJAS DE CONEJO
Las verdaderas aventuras de Liniers

UN DÍA, MIENTRAS ESTABA SOPLANDO UN DIBUJO DE ENRIQUETA PARA QUE SE SECARA LA TINTA...
FUUU
FUUU

...SALIÓ UNA PEQUEÑA ESCUPIDA.

PERDÓN.

¿LE ACABO DE PEDIR PERDÓN A UN DIBUJO?

Las Verdaderas Aventuras de Liniers
HOLA.
POR ESE
¿TE PUSISTE LA REMERA ARRIBA DE LA CAMISA?
SÍ
TENGO UN SENTIDO DE LA MODA DISLÉXICO...

SE DERRUMBÓ UN DUENDE.
A LA CUENTA DE TRES...
UNO.
DOS.
¡TRES!
LOS AMIGOS LEVANTARON AL DUENDE DERRUMBADO

?
¿¡PODÉS CORTARLA!?
JI
CHUF

LORENZO & TERESITA
ME ENCANTAN TUS RUIDOS CUANDO DORMÍS.
SON COMO "HHHHHHHHHHHH"
SON TAN LINDOS.
A VECES RONCÁS.

DE LEJOS, VIO A SU VIEJA AMIGA
¡PUCHA!
¿QUÉ FUE ESO?
ERA NUEVO... A LO MEJOR SE HABÍA ENAMORADO-

GRGLLGRGLG
MI PANZA HIZO UN RUIDO.
GGLGRLGGRG
LORENZO Y TERESITA
ME PARECE QUE ESTÁN CHARLANDO.

SARAVIA VA A TRATAR DE DESAPARECER.
PRIMERO TIENE QUE TRATAR DE APRETAR-SE MÁS.
MÁS... MÁS... MÁS APRETADO.
UN POCO MÁS...
MÁS.
¡BRAVO!
¡BRAVO!
CLAP
CLAP
CLAP

¿CÓMÓ ÁNDA DÓN ALFÓNSO?
ACÁ MÉ VÉ USTÉD... DÉ LÓ MÁS BIÉN.
QUÉ CLÍMA DÉ LÓC...
DISCÚLPE QUÉ LÓ INTERRÚMPA
PÉRO HÉ NOTÁDO QUÉ HÁY ACÉNTOS PÓR TÓDOS LÁDOS.
FÍJESÉ.
¡CIÉRTO!
AQUÉL DÍA, ÉL AUTÓR DÉ ÉSTA TÍRA SÉ HABÍA DESPERTÁDO MÁS ENFÁTICO...
ESTÚPIDO DIRÍA YÓ...

EL DUENDE RESISTIÓ CON ESTOICISMO LOS EMBATES VIOLENTOS DE LOS PANADEROS

Las verdaderas Aventuras de Liniers

EN EL ASIENTO DE ATRÁS DE UN AUTO.

MIRANDO LAS GOTAS DE LLUVIA CORRER CARRERAS EN LA VENTANA.

ALGUNAS GANAN, OTRAS PIERDEN...
¿QUÉ?

MIENTRAS TANTO, EN LA ANTÁRTIDA

EN "ALICIA EN EL PAÍS DE LAS MARAVILLAS" HAY UN GATO QUE SE RÍE...
¡SÍ! ¡ASÍ! ¡IGUAL, IGUAL!
Y TAMBIÉN PUEDE DESAPARECER...
OPS
¿FELLINI?
ACÁ ABAJO.

EL SIGUIENTE ES UN PEDIDO PARA MEJORAR LA CALIDAD DE VIDA DE TODOS

MUY BUENOS DÍAS.
QUISIERA DIRIGIRME A USTED, ESPECTADOR DE CINE.

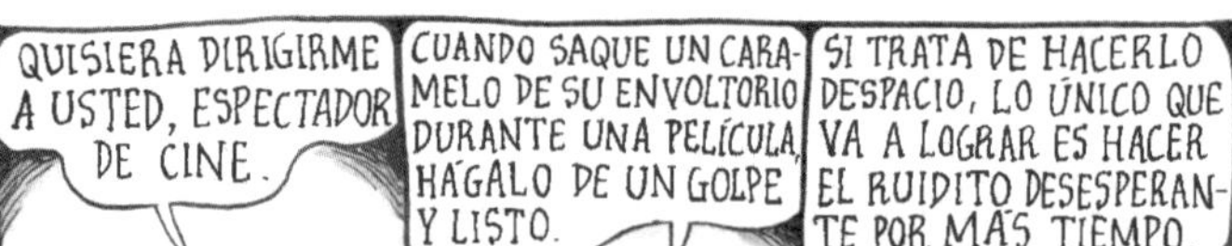
CUANDO SAQUE UN CARAMELO DE SU ENVOLTORIO DURANTE UNA PELÍCULA, HÁGALO DE UN GOLPE Y LISTO.
BIEN RÁPIDO.
SI TRATA DE HACERLO DESPACIO, LO ÚNICO QUE VA A LOGRAR ES HACER EL RUIDITO DESESPERANTE POR MÁS TIEMPO.

KCH KCH KCH

GRACIAS POR SU ATENCIÓN.

¡OH NO!
NOS PUSIMOS DE MODA.

¡VACACIONES, MADARIAGA!

VISTE QUE...

...LOS DÍAS TIENEN MÁS COLORES EN VACACIONES.

MMMMMMM.
MMMMMM.

MMMMMMMMM.

LA 'M' ES LA MEJOR LETRA.
AJÁ...

AHÍ VIENE DE NUEVO.
AHÍ VIENE DE NUEVO.
AHÍ VIENE DE NUEVO.
UN PINGÜINO, UN REGADOR... DIVERSIÓN GARANTIZADA.
KCH
KCH
KCH
KCH

HOY– EL SEÑOR QUE TRADUCE LOS NOMBRES DE LAS PELÍCULAS.
HABRÁN NOTADO EN ESTOS ÚLTIMOS TIEMPOS
... QUE VARIAS PELÍCULAS ARGENTINAS TIENEN NOMBRES COMO...
"PAPÁ ES UN ÍDOLO", "PELIGROSA OBSESIÓN", "UN HIJO GENIAL" O "¿Y DÓNDE ESTÁ EL BEBÉ?"
ESTOY HACIENDO ESCUELA...

NO SÉ...
NO... NO SÉ.
LA VERDAD ES QUE NO SÉ.
SABÉS QUE NO SÉ...
NO, NI IDEA, CHE.
NOP... NO SÉ.
POCAS PERSONAS TENÍAN LAS COSAS TAN CLARAS COMO SARALEGUI.
SÓLO SÉ QUE NO SÉ...
CLARO.

LO VEO FASCINADO CON ESE LIBRO.
DELICIOSO PASATIEMPO, SI LOS HAY.
ESTOY LEYENDO UNA POESÍA.
¿Y, DE QUÉ SE TRATA ESA POESÍA?
ES UNA POESÍA SOBRE TODO.
¿CÓMO?
¿CÓMO VA A SER SOBRE TODO?
ASÍ COMO ME OYE... SE TRATA DE TODO.
ES UNA POESÍA TITULADA... "DICCIONARIO"
ES USTED UN IDIOTA.

OLIVERIO
La
Aceituna
TUC
?
TUC
?
!
?
?
TUC

EH...
EJEM.
EJEM...
MMM... POP
MMM... POP
♫ ♪
MIAAAOO
¡AAAAAAA!
AH, QUÉ SUERTE, JUSTO TE DESPERTASTE... ¿QUERÉS HACER ALGO?

¡LIBRE AL FIN!

DE REPENTE SINTIÓ COMO QUE LO ESTABAN SIGUIENDO
NADIE
SEGUNDOS MÁS TARDE, LA MISMA SENSACIÓN
NO, NADIE.
'QUÉ MISTERIO' PENSÓ.
'UN MOMENTO...'
'¡MISTERIO!'

EN MI TELÉFONO CELULAR TENGO DE TODO. LA AGENDA CON TODO LO QUE TENGO QUE HACER EN LOS PRÓXIMOS MESES. LOS E-MAILS DEL TRABAJO. LOS TELÉFONOS DE TODA LA GENTE QUE CONOZCO. Y TAMBIÉN ES MÁQUINA DE FOTOS, ASÍ QUE TENGO TODAS LAS FOTOS DE LAS VACACIONES PASADAS. Y TAMBIÉN TIENE TODAS MIS CANCIONES FAVORITAS PARA OÍRLAS CUANDO YO QUIERA
¡¡FAAAAAAAA!! ¡BUENÍSIMO!
NINGÚN BUENÍSIMO.
LO PERDÍ.

GENTE QUE ANDA POR AHÍ
SILVEYRA CREE EN LA LIBERTAD DE EXPRESIÓN
A GOLDEMBERG NO LE GUSTAN MUCHO LOS GATOS.
POR ALGUNA RAZÓN MISTERIOSA, LA PALABRA 'FILOSOFÍA' SIEMPRE HACE SONREÍR A PÁEZ.
ARISTIMUÑO ESCRIBIÓ CANCIONES EN VIEDMA QUE AHORA CANTA EN BUENOS AIRES.
A SANDRINI NO LE IMPORTA LO QUE DIGAN LOS GURÚES DE LA MODA

POBRE HUEVO.

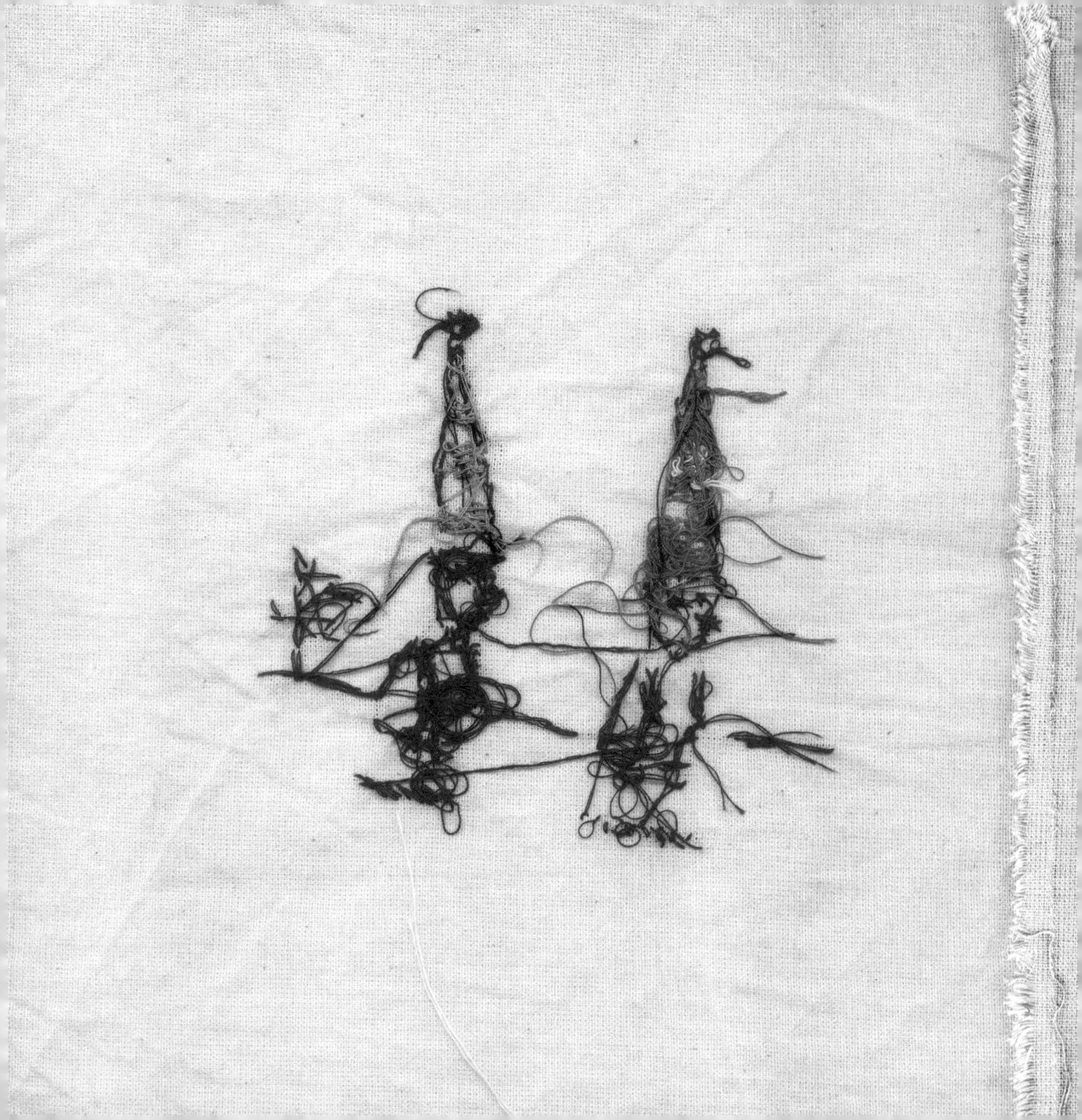

EPA..., SE NUBLÓ.
MENOS MAL QUE TRAJE EL PARAGUAS.

NO HACE FALTA... SALIÓ EL SOL.

ESPERE, NO LO GUARDE. SE NUBLÓ DE NUEVO.
PERO CHE...

¿SABÉS QUÉ ES LO BUENO DE LA PATAGONIA?
¿QUÉ?
HAY MUCHA PLAYA... MUCHA COSTA.
MUCHO AIRE PURO.
MUCHOS ANIMALES DE TODO TIPO.
MUCHA NATURALEZA.
¿PERO, SABÉS QUÉ ES LO MEJOR DE TODO?
¡POCAS PERSONAS!
AH, CLARO.

AHÍ ESTÁ ÉL, CON SU VIDITA A CUESTAS.
ESPERANDO QUE LE PASE ALGO INCREÍBLE.
ALGO EMOCIONANTE GIGANTESCO.
ALGO QUE LE HAGA PENSAR: "AH, PARA ESTO ESTABA YO ACÁ, CON MI VIDITA A CUESTAS."
A LO MEJOR HOY ES EL DÍA EN QUE ALGO ASÍ OCURRA.
¡YA SALIÓ LA REVISTA CON LAS MEJORES COLAS DEL VERANO!
SIGUE ESPE-RANDO.

UNA PIEDRITA GIRANDO Y GIRANDO ALREDEDOR DE UNA LUCECITA.
PERDIDOS EN MEDIO DEL ESPACIO.
SOMOS TAN CHIQUITOS. TAN POCO IMPORTANTES. TODO ES ÍNFIMO.
ESO LE DIJE A MADRE.
¿Y?
DIJO QUE LA LÁMPARA QUE ROMPIMOS LA HABÍA HEREDADO DE SU ABUELA Y TENÍA ESA MIRADA MEDIO DESENCAJADA.
YO ESPERARÍA MEDIA HORITA MÁS PARA VOLVER...

Las verdaderas aventuras de Liniers
UNA VEZ ESTABA COMIENDO SUSHI
¿CÓMO SE HACE ESTO?
?
¡EL PELO DE UN JAPONÉS! ¡AHORA PUEDO PEDIR UN DESEO!

LA MIRADA ENIGMÁTICA DEL GATO... ¿QUÉ ESCONDE? ¿QUÉ HAY DETRÁS DE SUS OJOS PENETRANTES? ¿QUÉ PASA POR SU CABEZA?

HAMBRE...
¿DE NUEVO?

"CUANDO ALGO ES GRACIOSO, EXAMÍNELO CON CUIDADO EN BÚSQUEDA DE UNA VERDAD OCULTA."
GEORGE BERNARD SHAW

?

LOS DÍAS PASAN.
TODO SIGUE MÁS O MENOS IGUAL.
SALVO EL RULO DE CASTILLO QUE ESTÁ ZARPADO...

¿QUÉ HACÉS, ENRIQUETA?
ESTOY DESHACIENDO TIEMPO HASTA QUE PUEDA ABRIR LOS REGALOS DE NAVIDAD.
¿CÓMO "DESHACIENDO"? QUERRÁS DECIR "HACIENDO" TIEMPO.
NO. NECESITO QUE EL TIEMPO ENTRE AHORA Y EL MOMENTO EN QUE PUEDA ABRIR LOS REGALOS DESAPAREZCA... O SEA DESHACER-LO ¿ENTENDÉS?
AH...
QUÉ VIDA RARA VAS A TENER CUANDO SEAS GRANDE...

BUENAS.
NO SE VAYAN A OLVIDAR DE VIVIR, EH...
BUENO, ESO QUERÍA DECIR NOMÁS... 'TA LUEGO.
A LA PUCHA... CUÁNTA PRESIÓN

OPA... AGUA.
ESTÁ SUBIENDO.
NO ME PREOCUPO, YA ESTUVO ASÍ DE ALTA ANTES.
UY... PARECE QUE SIGUE SUBIENDO...
LLEGA AYUDA.

¿POR QUÉ BAILA?
AYER VI "FAMA", "FOOTLOOSE", "FLASH-DANCE" Y "DIRTY DANCING."

ESTOY POSEÍDO.

SILENCIOSO.
COMO UN NINJA.
SE ACERCA.
LENTAMENTE.
SIN HACER NI UN SOLO RUIDO.
COMO UN...
¿ES SOBRE NINJAS TU LIBRO?

¿DÓNDE VOY A ENCONTRAR AL HOMBRE DE MI VIDA?
¿DÓNDE VOY A ENCONTRARLA A ELLA...
LA MUJER DE MI VID...
¿DÓNDE?
¿DÓNDE?

HABÍA DOS DUENDES.
UNO TENÍA INSOMNIO.
NO PEGUÉ UN OJO...
Y EL OTRO NARCOLEPSIA
POF
NUNCA FUERON MUY AMIGOS —

EXACTAMENTE EN ESTE MOMENTO
MILES DE PERSONAS SE ESTÁN ABRAZANDO.

A MANFREDI LE DIERON ESTE CUADRADITO PARA VIVIR.
Y LE DIJERON QUE ESTÉ CONTENTO.
¿ESTO ES TODO?
Y QUE NO HAGA PREGUNTAS ESTÚPIDAS.
AHÍ VA... ¡AGUANTE MANFREDI!

1
¡QUÉ LUGAR RARO!
2
¡QUÉ GENTE RARA!
3
¡QUÉ ELEFANTE RARO!
4
¡QUÉ SUEÑO RARO!
A. WINSOR McCAY

LORENZO Y Teresita
SIEMPRE TIENE EL CONTROL REMOTO ÉL...¿POR QUÉ SIEMPRE TIENE QUE TENER EL CONTROL REMOTO ÉL?
UY... DESFILE DE BIKINIS.

NEGRO EL TREINTA Y TREEEES.
AY, JUSTO LO ESTABA POR PONER AHÍ... TE LO JURO...¡TE LO JURO!

NADIE CONOCÍA SU VERDADERA IDENTIDAD... PERO, MISTERIOSAMENTE, CADA VEZ QUE APARECÍA, A COPITO DE NIEVE NO SE LO VEÍA POR NINGÚN LADO
¡OH, ALGUIEN SE ENCUENTRA EN APRIETOS!
S

BUEN DÍA FELLINI
BUEN DÍA CAPITÁN AHAB.
¿MARCAS DE ALMOHADA?
PARECÉS UN MAPA.

HOY...
...UN CLÁSICO...
... SEÑORAS Y SEÑORES...
¡LO QUE EL VIENTO SE LLEVÓ!

URDAPILLETA, EL SEÑOR DE LAS TEORÍAS DESCABELLADAS.
OIGA USTED MI NUEVA TEORÍA.
SOSTENGO QUE SI A LA GENTE SE LA FILMARA MIENTRAS BAILA EN LOS BOLICHES Y LUEGO SE LES MOSTRARAN ESTAS PELÍCULAS...
REDOBLE DE TAMBORES.
...EL 98% DE ESOS SUJETOS NO VOLVERÍAN A BAILAR NUNCA MÁS EN SUS VIDAS.
SÍ, SERÍA TRAUMÁTICO...

GENTE QUE ANDA POR AHÍ
EL ÚLTIMO HIPO LE DOLIÓ A PARISI.
NO ES EL FIN DEL MUNDO, PERO DESALVO PIENSA QUE SÍ.
SE DESMAYÓ RUDNIK, CAE RUDNIK...
EL DISFRAZ DE CONEJO ES JUSTO LO QUE BUSCAGLIA QUERÍA.
PORTALUPI QUEDÓSE UN RATO EXAMINANDO SU OMBLIGO.

¿QUÉ SOÑARON ANOCHE?
ENRIQUETA.
FELLINI.
MADARIAGA.

¡LIBRE! ¡LIBRE AL FIN!

¿QUÉ LEÉS HOY?
"LAS CRÓNICAS DE NARNIA" DE C.S.LEWIS.
LO BUENO DE LAS VACACIONES ES QUE NO TENÉS QUE IR A NINGÚN LADO, ENTONCES PODÉS IR A CUALQUIER LADO...

¿QUÉ DECÍS FELLINI? ¿ROMPO EL RÉCORD?
¡AHÍ VOY!
TENGO FRUTILLAS EN LAS DOS RODILLAS Y EN UN CODO.
¡RÉCORD!

¿TE GUSTAN LAS CANCIONES DE LOS "BEACH BOYS"?
LET'S GO SURFIN NOW, EVERYBODY'S LEARNING HOW...

MIREN QUIÉN ESTÁ AHÍ
¡EL MISTERIOSO HOMBRE DE NEGRO! ¿QUÉ ESTARÁ HACIENDO?
¿ESTARÁ ESPERANDO A ALGUIEN? ¿A QUIÉN? QUÉ INTRIGA...
CÓMO TERMINARÁ ESTA TIRA, SE ESTARÁN PREGUNTANDO...
¿CÓMO? ES UN MISTERIO.

CLIC
CLIC
CLIC
LA EXPEDICIÓN FUE UN ÉXITO... PERO LAS FOTOS SALIERON UN POCO MOVIDAS...

BUENAS.
¿Y USTED QUIÉN ES?
SOY SU ALTER EGO.
NO SABÍA QUE TENÍA UN ALTER EGO.
Y YO NO SABÍA QUE TENÍA UN ALTER ALTER EGO.

UN SEÑOR CONOCE A SU ALTER EGO.
¿Y PARA QUÉ SIRVE UN ALTER EGO?
PUEDO HACER TODAS LAS COSAS QUE USTED NO SE ANIMA A HACER.
¿POR EJEMPLO?
MMMM.
TE VIIIIIII, JUNTABAS MARGARITAS DEL MANTEEEL

BUENO ALTER EGO, FUE UN PLACER CONOCERLO.
HASTA LUEGO AMIGO... ME VOY A HACER TODAS LAS COSAS QUE USTED NO SE ANIMA A HACER.
TODAS, TODAS, TODAS.

DE MI FRASCO DE TINTA CHINA SALIÓ UN DEMONIO, UN ÍNCUBO...
¡FLOR DE SUSTO!
DESPUÉS, REVISANDO ALGUNOS DIBUJOS, ENTENDÍ POR QUÉ ERAN TAN RAROS...
¿¡ALTER EGO!?

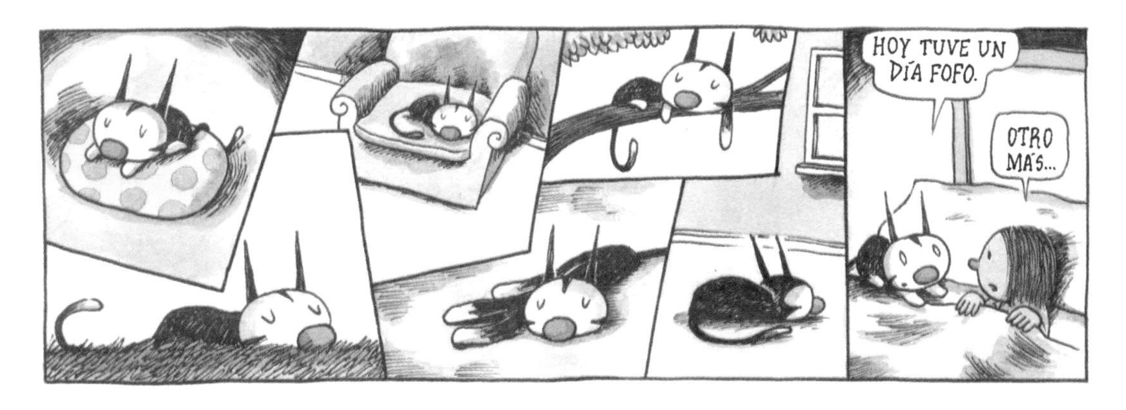
HOY TUVE UN DÍA FOFO.
OTRO MÁS...

SOS UNA GRAN DECEPCIÓN PARA ESTA FAMILIA, PERO LA VERDAD ES QUE SIEMPRE SUPUSIMOS QUE SERÍA ASÍ...

TARDE O TEMPRANO IBA A SUCEDER. LOS PINGÜINOS SE ORGANIZARON... EL STATU QUO A PUNTO DE CAMBIAR PARA SIEMPRE

OLIVERIO
La Aceituna
ESTOY VERDEEE... NO ME DEJAN SALIIIIR...

¿QUÉ TE PASÓ?
ESTOY CON UN DOLOR TERRIBLE...
...DESDE HOY A LA MAÑANA.
ESTABA LEYENDO EL DIARIO...
...Y A UN IDIOTA SE LE OCURRIÓ ESCRIBIR DE COSTADO LOS TEXTOS DE SUS CHISTECITOS.

PELIGRO

PELIGRO

PELIGRO

ATACÓ EL CHANCHO...

¡BU!

¡HIP!
NO... NO FUNCIONÓ.

¿QUIÉN SOY?
¿SOY MI TRABAJO?
¿SOY LA PLATA QUE TENGO EN EL BANCO? ¿SOY LA ROPA QUE USO?
¿SOY LA GENTE QUE CONOZCO? ¿LA CULTURA QUE CONSUMO? ¿LOS PRODUCTOS QUE CONSUMO? ¿SOY LOS LIBROS QUE LEO? ¿LA TELEVISIÓN QUE VEO?
¿NO ES ASÍ COMO NOS ANALIZA EL MARKETING? ¿SOY A, B, C1?
HOLA ROLO
AH CIERTO... ME HABÍA OLVIDADO.
¡SOY ROLO!

OJOS.
NARIZ, BOCA.
PÁRPADOS, CACHETES, FRENTE, OREJAS.
¿Y ESTE AGUJERITO ENTRE LA NARIZ Y LA BOCA?
¿CÓMO SE LLAMA? ¿TIENE NOMBRE?

ENRIQUETA LEE "EL GATO NEGRO" DE EDGAR ALLAN POE.

OOOH... SE ACABÓ EL EFECTO.
¿OTRO CAFECITO?

¡¿U... USTEDES EL MISTERIOSO HOMBRE DE NEGRO?!

NO.

HALO DE MISTERIO

!
¡EY! ¡¡TODAVÍA FALTA, CHE!!

ME ENCANTA... CREO QUE ESTOY ENAMORADO... PERO ELLA ME SIGUE TRATANDO COMO A UN ZÁNGANO...
BAJÓOOON...

CAPITÁN, ¿CREE QUE FALTA MUCHO?
ESTAS AGUAS ESTÁN INFESTADAS DE PIRATAS Y MONSTRUOS DE TODO TIPO.
Y NOS QUEDAN PROVISIONES PARA UNOS POCOS DÍAS MÁS...
¡TIERRA A LA VISTA!

TEKLE TEKLE TEKLE TEKLE TEKLE TEKLE TEKLE TEKLE TEKLE TEKLE TEKLE
FLIP
¡¡¡AAH!!!... ¡SE ME BORRÓ TODO!
HACE ENTRADA UN PERSONAJE QUE TODO EL MUNDO ODIA...
¿NO LO GRABASTE? SIEMPRE TENÉS QUE GRABARLO.
EL TIPO QUE DA CONSEJOS DESPUÉS DEL EVENTO.
SIEMPRE, SIEMPRE.

"¿OTRA VEZ?" PENSÓ EL CONEJITO PINKY... "¡ES LA TERCERA VEZ QUE ME PASA LO MISMO!"

ESPERO NO REENCARNAR EN JIRAFA PORQUE ME DARÍA VÉRTIGO.
?

MADRE ME DIJO QUE PREGUNTO TODO PORQUE ESTOY EN LA EDAD DE LOS "¿POR QUÉ?"

PERO UNA DEBERÍA ESTAR SIEMPRE EN LA EDAD DE LOS "¿POR QUÉ?"
AH... ¿POR QUÉ?

DE REPENTE, EL AFRO VUELVE A ESTAR DE MODA

SE VA EL MISTERIOSO HOMBRE DE NEGRO.

¿MAL HUMOR?
SE ACABAN LAS VACACIONES.
AH...
¿Y FALTA MUCHO PARA QUE TE JUBILES?

un duende a la deriva
una idea a la deriva

UNA VEZ LEÍ QUE NUNCA HAY QUE CONFIAR EN LA GENTE DE UN SOLO LIBRO.
Y YO QUIERO PODER CONFIAR EN MÍ... ASÍ QUE...

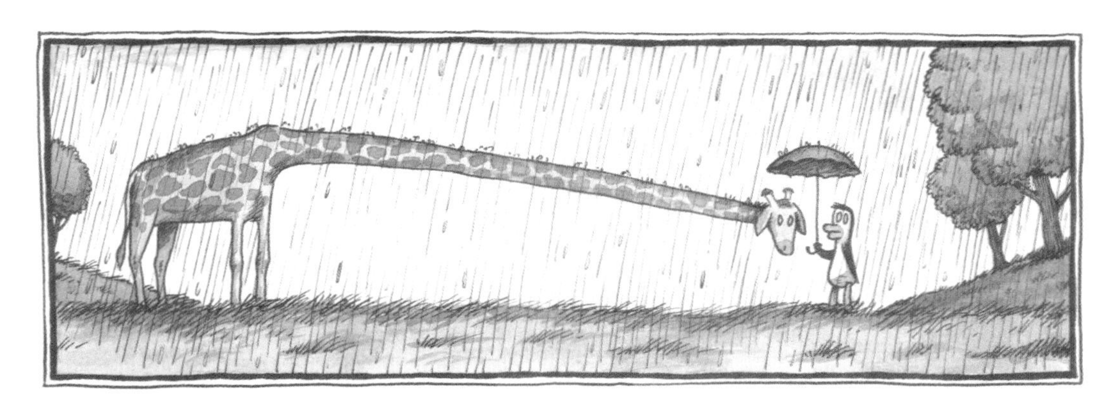

Las verdaderas Aventuras de Liniers
IBA EN EL 130.
DE GOLPE MIRÉ POR LA VENTANA...
...Y EN UN TAXI PASABA JUANITA
¡QUÉ CASUALIDAD!

OTRO DÍA TRISTE EN LA VIDA DE RÓMULO EL PINGÜINO

LORENZO Y Teresita
TANTO AMOR.
TANTO AMOR.
CHE... ANOCHE RONCASTE SIN PARAR.
Y VOS USASTE MI AFEITADORA PARA AFEITARTE LAS PIERNAS.
ALGO DE AMOR

¿MM?
UY, QUÉ BUENO. HOY ES SÁBADO...
¡AH, NO. HOY ES MARTES!
EPA... ¡QUÉ CARA!

NUNCA MÁS ME PRENDO A UN "PARTIDITO DE PING-PONG"

Las verdaderas aventuras de Liniers
UY... LA AGARRÉ.
¡QUÉ ASCO!
¡Y NO VUELVAS!
¿QUÉ FUE ESO?

DUERMEN POR TURNOS.
¡PERO CON QUÉ COMODIDAD!

OTRO CICLO SE CIERRA EN EL UNIVERSO...

¡DALE, QUE ME LA BANCO! ¿CREÉS QUE TE TENGO MIEDO, GILÚN? ¿EH?... VENÍ... VENÍ QUE TE ROMPO LA CARA... AH, ESTÁS ARMADO. EH, COBARDE...
OPA
BUEH, CHE... NO TE CALENTÉS.
¡PA!

SUS BRAZOS ESTÁN DISTRAYENDO A LOS LECTORES DE ESTE DIARIO ¿PUEDE DEJAR DE HACER ESO?
ES TAI CHI CHUAN... ¡Y YO SOY TAI CHI JUAN!

ERA EL PINGÜINO CONTRA EL BALLENERO.
Y, ¿A QUE NO SABEN QUÉ?...
GANÓ EL PINGÜINO

¿VISTE TODA ESA GENTE QUE SE MATA POR UNA VIDA CINCO ESTRELLAS?

YO ME QUEDO CON MI VIDA MIL ESTRELLAS.

DESDE QUE APARECIÓ EN TODOS ESOS POSTERS, ESTÁ INSOPORTABLE...
OLIVERIO
La Aceituna

ALGUNOS
DICEN QUE ES DESCENDIENTE DIRECTO DE LOS ROMANOV... OTROS DICEN QUE HIZO SU FORTUNA EN EL
ÁREA DE LA ENTOMOLOGÍA... ESTÁN LOS QUE DICEN QUE ES UN VIRTUOSO TOCANDO LA BALALAICA...
Y TAMBIÉN DICEN QUE BOB DYLAN, NICK CAVE Y TOM WAITS ESCRIBIERON CANCIONES SOBRE ÉL...
PERO DICEN QUE ÉL SÓLO ESCUCHA MÚSICA GREGORIANA Y TANGO...
DIGAN LO QUE DIGAN...
ES MISTERIOSO
EL HOMBRE
DE NEGRO

¡MADARIAGA!
¡PERDÓN MADARIAGA! ME OLVIDÉ DE VOS... ESTÁS FRENTE A LA TELEVISIÓN DESDE HACE HORAS.
MENOS MAL QUE NO TENÉS CEREBRO... QUE SI NO...

AHÍ ESTÁ... EL GENIO DE LA...
...SOLEDAD.
OTRA VEZ SOLO...

PRONÓSTICO PARA HOY: POSIBILIDAD DE CHAPARRONES AISLADOS Y UNA LEVE SENSACIÓN DE AÑORANZA.
PRONÓSTICO PARA MAÑANA: MÁS LLUVIAS Y UN POCO DE MELANCOLÍA.

"LO ÚNICO QUE ME PERTENECE..."
"... ES AQUELLO QUE NO TENGO ATRAPADO."
¡ESO!

OTRO DÍA MÁS SIN NADA QUE HACER... SÓLO VER PASAR EL TIEMPO.
AHÍ VA EL TIEMPO.
PASE SEÑOR TIEMPO ... PASE NOMÁS.
POR ALLÁ SE VA ...
HASTA LUEGO SEÑOR TIEMPO.
SER GATO VIENE CON BASTANTE TIEMPO LIBRE.

ASÍ QUE TE CONSIDE-RAS UN INDIVIDUALISTA...
TRATO.

FUUU

OTRO SÁBADO BIEN USADO...

NO HAGAS CONTACTO VISUAL ... NO HAGAS CONTACTO VISUAL ...

EL RULO DE DALLOWAY
HACE LA OLA

ME GUSTA EL OTOÑO.

¿TE DIJE QUE VOY A ACTUAR EN UN CORTO?

PEQUEÑAS ALEGRÍAS URBANAS.
TI TI TI TI TI TI TI TI TI TI TI TI

TI TI TI TI TI TI TI

TI TI TI TI TI TI

ALGUIEN APAGA LA ALARMA DE ESE AUTO...
TI TI T...
AAAAAHHH

¿Y AHORA QUÉ?

Las verdaderas aventuras de Liniers
UY... ME CORTÉ.
Y DESPUÉS...
AH, ESTO SIGUE PEGADO AHÍ.
VUELA PAPELITO... ¡ERES LIBRE AL FIN!

EY... ¿CÓMO ESTÁN HACIENDO ESO?... ¡EH!... ¡¿CÓMO?!...¡¡EY!!

A VECES CAMINA.
A VECES NO.
A VECES CORRE.
A VECES NO.
PERO SIEMPRE ES MISTERIOSO EL HOMBRE DE NEGRO... SIEMPRE

A MÍ ME GUSTARÍA QUE MIS AMIGOS FUERAN BIEN DIFERENTES A MÍ.
ALGUNAS PERSONAS SÓLO QUIEREN ESTAR CON GENTE QUE ES IGUAL... MISMA EDUCACIÓN, MISMA RELIGIÓN, MISMO TRABAJO, MISMO TODO.
¿QUÉ COSAS NUEVAS VAS A APRENDER DE ALGUIEN IGUAL A VOS? ¿QUÉ SORPRESAS HAY?
ENRIQUETA...
... QUEDATE TRANQUILA. DUDO QUE HAYA UNA SOLA PERSONA PARECIDA A VOS.
¿DECÍS?

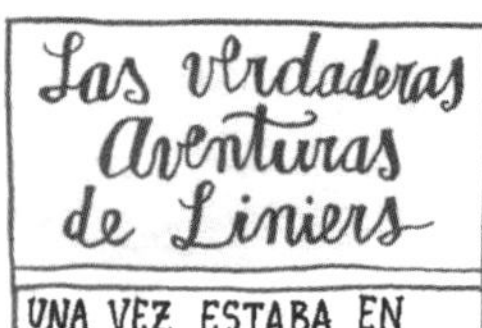
Las verdaderas Aventuras de Liniers

UNA VEZ ESTABA EN UN AVIÓN...

AFUERA DEL AVIÓN CAÍAN RAYOS... NUNCA HABÍA VISTO RAYOS DESDE ARRIBA.

CUALQUIER DÍA QUE VES ALGO POR PRIMERA VEZ ES UN BUEN DÍA.

¿POR QUÉ ESTÁ ASÍ?
ESTABA DESCANSANDO...

SU TÉCNICA ERA SOBRESALIENTE Y SU CARA DE PÓQUER INDESCIFRABLE

OLIVERIO
La Aceituna
EN ESE MOMENTO ENTRA ROBIN Y DICE...
¡SANTAS ACEITUNAS BAILARINAS, BATMAN!

TUVE UNA PESADILLA, MADARIAGA... Y AHORA CREO QUE ESCUCHÉ UN RUIDO.
NO SÉ SI VOY A PODER VOLVER A DORMIRME.
SALVO QUE... ¿A VOS TE IMPORTARÍA QUEDARTE DESPIERTO PARA DEFENDERME?

GENTE que anda por AHÍ
"NO" PIENSA PACHECO, "NO ENTIENDO NADA."
A KARINSKY LE GUSTA MIRAR LOS CUADROS DESDE CERCA.
ESTIRARSE ES LO QUE ARIAS DISFRUTA MÁS DE SU DÍA.
IRIBARREN TERMINÓ DE LEER "LAS UVAS DE LA IRA" Y ALGUNAS PARTES DEL LIBRO SE QUEDARON CON ÉL.
VANESKEHEIÁN ESTÁ SOMBRÍO POR ALGO QUE PASÓ HACE NOVENTA AÑOS Y POCOS RECUERDAN.

¿NADIE QUIERE HACER UN DOCUMENTAL SOBRE MÍ?

QUÉ TIPO MISTERIOSO ES USTED...

ME GUSTA LA NOCHE.
VUELVE LA CALMA.
LA CIUDAD DESCANSA. UNO PUEDE APROVECHAR PARA RELAJARSE, DESACELERAR, BAJAR LAS REVOLUCIONES DEL AJETREO DIARIO.
VEO QUE TUVISTE UN DÍA EXIGENTE.
NO, NO HICE NADA...
¿POR?

ESE DÍA, EN LO DE GIORGIO ARMANI...
EL AÑO QUE VIENE TODOS VAN A ESTAR USÁNDOLO.

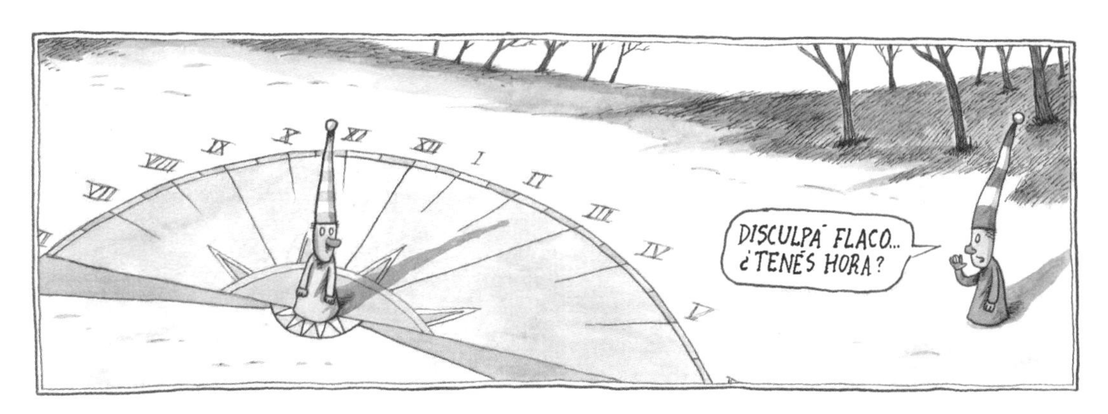
DISCULPÁ FLACO... ¿TENÉS HORA?

PARECE QUE VAMOS A TENER OTRO DÍA VENTOSO...

¿VISTE QUE LOS PERROS HACEN TODO LO QUE LES DECÍS?... SE SIENTAN, TE DAN LA PATA, TE TRAEN PALITOS QUE TIRÁS...

PERO USTEDES, LOS GATOS NO HACEN NADA DE LO QUE LES DICEN... NADA, NADA...

¿POR QUÉ?
¿EH?

NO PIENSO CONTESTARTE.

CAMPEÓN EN SIETE TORNEOS DE LA A.T.P. Y TRES GRAND SLAMS... SIN EMBARGO CADA VEZ QUE SALE A REMAR TIENE EL MISMO PROBLEMA

¿Y UN LIFTING?
AY, NO SÉ, ¿TE PARECE?

Z-25, EL ROBOT SENSIBLE, ENSAYA...
¡AH, POBRE YORICK!
¡AH, POBRE YORICK!

LO ÚNICO QUE HACÉS VOS ES DISFRUTAR TU VIDA, ¿NO?
EY... EL MUNDO ES MI GALLETITA.

DE NOCHE.
TIENE SED.
SE LEVANTA DE LA CAMA PERO... ¡OH NO! ESTÁ DESCALZO.
PUM
EL MOMENTO EN QUE MUCHA GENTE DEJA DE CREER EN DIOS.

PUC
PUC
PUC
PUC
ES NUEVO.

¿SABÉS QUÉ ES LO BUENO DE LA INFANCIA?
TODAVÍA NO ME PASARON MUCHAS COSAS
NO TUVE GRANDES TRAUMAS O DECEPCIONES. NI AÑOS Y AÑOS DE EDUCACIÓN... MI INSERCIÓN SOCIAL ES LIMITADA.
ESAS COSAS QUE TE CAMBIAN, VISTE.

CUANDO SOS CHICO ES CUANDO UNO ES MÁS PARECIDO A UNO MISMO.
ES VERDAD... VOS SOS BASTANTE ENRIQUETA.

EL MOMENTO EXACTO EN QUE LA FAMA SE LE SUBIÓ A LA CABEZA.

CAETANO VELOSO DICE QUE DE CERCA NADIE ES NORMAL.
¡Y TIENE RAZÓN!

¿Y?... ¿QUÉ TE PARECE ESTO DE VIVIR EN UNA CASA RODANTE?

OLIVERIO
La aceituna
CONTRA LOS ZOMBIES
ACEITUNAS DESCAROZADAS RELLENAS CON MORRÓN

"Al despertar Gregorio Samsa una mañana, se encontró en su cama convertido en un conductor de un programa de chimentos..."
Y CON NUESTRA CÁMARA ESCONDIDA DESCUBRIMOS A FAMOSO TENISTA, ¡Y CASADO!, CON UNA VEDETTE... PERO ANTES... ¿USTED TIENE HONGOS EN LOS PIES? USE POMADA...

¡AAAAH!

A VECES ESTÁS SOLO.

A VECES NO.

UN CUERVO AL FINAL DE SU NARIZ
¡MISTERIO!

ME SIENTO PÉSIMO MADARIAGA.
TENGO FIEBRE, ME DUELE LA CABEZA.
NO PEGUÉ UN OJO EN TODA LA NOCHE.
ME DUELE LA GARGANTA... ESTOY RES-FRIADA.
ENRIQUETA... MEJOR HOY NO VAYAS AL COLEGIO.
¡VAMOS TODAVÍA!

HOY DESCUBRÍ QUE PUEDO ESTAR BAS-TANTE TIEMPO SIN PENSAR EN NADA.
QUÉ GENIO.

LO QUE DICEN LOS RECIÉN NACIDOS... (TRADUCIDO AL ESPAÑOL)
¿DÓNDE ESTOY?
EY, ¿DÓNDE ESTOY?
¿DÓNDE ESTOY?
¿QUÉ ES ESTO?
?
¿DÓNDE ESTOY? ¿DÓNDE?
¿DÓNDE ESTAMOS? ¿ALGUIEN SABE DÓNDE ESTAMOS?

SIEMPRE ESTÁ LA QUE PREFIERE NO SEGUIR AL REBAÑO

AY, CÓMO LE GUSTA.
TANTO QUE NO SE PUEDE MOVER. CASI NO PUEDE RESPIRAR.
TIENE QUE HACER ALGO, PERO NO LE RESPONDEN SUS MÚSCULOS... NO SE PUEDE...
HOLA.
EL FIN DE LA PARÁLISIS

¡SALUD!

$
PEGAMEN

HABÍA UNA VEZ UN DUENDE ...
... QUE SI SE CONCEN-TRABA ...
... PODÍA VER EL FUTURO ...
BUENAS.
... PERO NO LO HACÍA SEGUIDO PORQUE LE ARRUINABA LAS SORPRESAS

LOS LIBROS DE ESTE LADO ESTÁN DEL LADO DE AFUERA DE MI CABEZA...
... Y LOS DE ÉSTE YA ESTÁN DEL LADO DE ADENTRO.

¿QUÉ HAGO? ¿LLEVO EL PARAGUAS O NO?
NO SÉ.
GRACIAS A L.A.
PARECE QUE VA A LLOVER.
PERO SI NO LLUEVE, VOY A ANDAR CON EL PARAGUAS TODO EL DÍA.
PERO, ¿SI LLUEVE?
PERO, ¿SI NO?... PERO...
EH...
ALGUNOS LO CONOCEN COMO "EL CHICO DUDA".

¿QUÉ ESTÁS MIRANDO, ENRIQUETA?
ESOS BICHITOS.
SON TAN CHIQUITOS... SON ALGO HIPNÓTICOS... ¿CÓMO SERÁN SUS VIDAS? ¿QUÉ HARÁN TODO EL DÍA?
¿QUÉ ESTÁS MIRANDO, HIPÓLITO?
ESA PERSONOTA.

¿SABÉS QUÉ FELLINI? NO IMPORTA LO QUE DIGAN LAS PUBLICIDADES... NO CREO QUE UN TELÉFONO CELULAR SEA LA GRAN COSA...

¿TE PRENDÉS A UN METE GOL ENTRA?

CONTRA FLOR AL RESTO.
¡OH NO!

♫ BICHOS DE LUZ ♫ SOMOS BICHOS DE LUZ ♪
♫ CANTAMOS ASÍ LOS BICHOS DE ♫ LUUUZ ♫

¡¿ESTUVIERON JUGANDO A QUÉ...?!

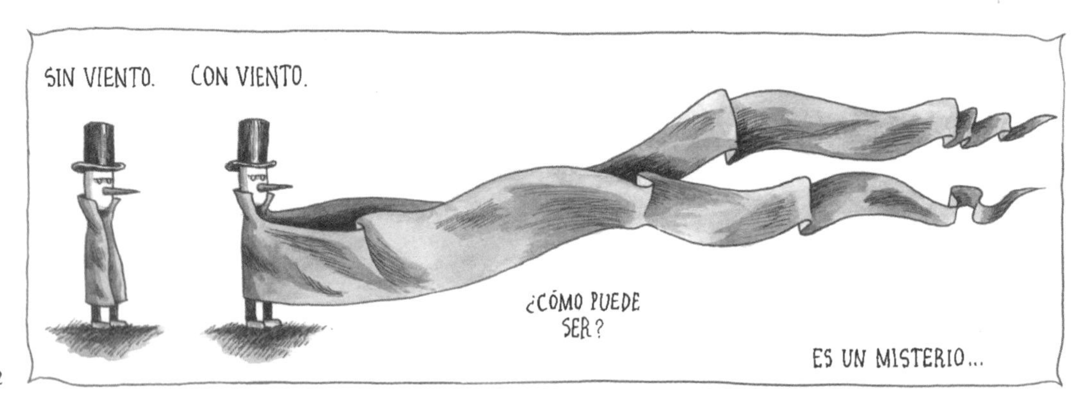
SIN VIENTO.
CON VIENTO.
¿CÓMO PUEDE SER?
ES UN MISTERIO...

¿QUÉ HACÉS ENRIQUETA?

ME GUSTA MIRAR MI BIBLIOTECA.

ESTÁ LLENA DE UNIVERSOS.

RIIIIIN
SI LA EXISTENCIA PRECEDE A LA ESENCIA, EL SUJETO SE CONSTRUYE DE ACUERDO A SUS ELECCIONES MORALES LO QUE INFIERE UNA RESPONSABILI-DAD PROFUNDA Y VERDADERA.
SON CATORCE PESOS.
AH... SÍ, SÍ. GRACIAS.
ANGUSTIA EXISTENCIAL DELIVERY... LLAME AL 0-800-JEANPAUL

ARGH...
VENGANZA,
¡VENGANZA!
¡PTU!

DEJAMOS CORRER EL AGUA UN RATO.
KSHHH
ME PONGO EL PIJAMA.
ME MOJO UN POCO EL PELO.
ESPERAMOS UN RATO, VACIAMOS LA BAÑADERA... ¡Y LISTO! HOY ZAFO DEL BAÑO.
¡YA TE BAÑASTE ENRIQUETA! ¡QUÉ BIEN!
NO ME DIO...
KSHH

DIECIOCHO.
¿NO VISTE UN FRASCO DE ESTEROIDES PARA CABA-LLOS QUE DEJÉ POR AHÍ?

TE DESPERTASTE FELLINI...
NO ESTOY DEL TODO SEGURO.

Las verdaderas aventuras de Liniers
EL OTRO DÍA ESTABA CON MI SOBRINO FÉLIX...
SE ME OCURRIÓ UN CHISTE PARA QUE LO DIBUJES.
5 AÑOS
"ES UN GATO"
"EN UNA PATINETA"
"AFUERA DE UN AVIÓN"
¡JA!
ESTÁ MUY BUENO. ME PARECE QUE LO VOY A DIBUJAR.
SÍ... ESTÁ MUY BUENO.
DISFRAZ DE HOMBRE ARAÑA

OSCAR WILDE DIJO QUE LA MODA ES UNA FORMA DE FEALDAD TAN INSOPORTABLE QUE HAY QUE CAMBIARLA CADA SEIS MESES...
Y HABRÁ DICHO ESO HACE MÁS DE CIEN AÑOS. ASÍ QUE LA DEBEN HABER CAMBIADO MÁS DE DOSCIENTAS VECES.
¿Y TODAVÍA NO LA EMBOCAN?
¿TE GUSTA MI VESTIDITO CELESTE NUEVO? MADRE ME COMPRÓ OTRO VESTIDITO CELESTE.
SÍ CHE... MUY LINDO.

?
CHE... CÓMO SOPLA EL VIENTO. ¿EH?

MADARIAGA, FELLINI... ¡VAMOS A INVESTIGAR!
ENRIQUETA SE DURMIÓ LEYENDO, ASÍ QUE SU SUEÑO DEBE SER MÁS DIVERTIDO.

CLAP CLAP CLAP CLAP CLAP CLAP CLAP
¡AVE MARÍA PURÍSIMA!
JI JI

EN EL INTERIOR, LOS CHICOS JUEGAN AL MOLESTO "APLAUSO-RAJE".

UN ELEFANTE PARADO SOBRE UN HUEVO, BALANCEÁNDOSE SOBRE UN FÓSFORO
NO IBA A DURAR...

MIRÁ MADARIAGA, SETENTA FLORES Y NINGÚN BALCÓN.

HE SIDO MUCHAS COSAS EN MI VIDA... DE ALGUNAS ME ARREPIENTO, SEGURAMENTE.
PERO POR LO MENOS NUNCA FUI UNA SANGUIJUELA. UN PARÁSITO QUE SE ALIMENTA A COSTA DE OTROS. QUE SE APROVECHA DE LA GENTE EN SUS MOMENTOS DUROS Y DISFRUTA VIÉNDOLA DE RODILLAS.
AJÁ... MIRE USTED QUÉ BIEN.
¡JA!... NO, MENTIRA, EN REALIDAD SOY CONDUCTOR DE UN PROGRAMA DE CHIMENTOS DEL ESPECTÁCULO.
JA JÁ.

¡COSO AZUL! ¡TANTO TIEMPO!
¡COSO AMARILLO!
ME HACÉS ACORDAR DE LOS VIEJOS TIEMPOS.
¿CÓMO OLVIDAR LOS VIEJOS TIEMPOS?
ERAN LO MÁS, LOS VIEJOS TIEMPOS.
TÚ LO HAS DICHO, MUCHACHO
Y ALLÁ FUERON A FABRICAR NUEVOS VIEJOS TIEMPOS

MUCHO JUEGO EN 3-D, ON LINE, PARA JUGAR EN RED...
PERO, LA VERDAD ES QUE SI QUERÉS UNA EXPERIENCIA 3-D POSTA...
¡LA HAMACA!

CHE... ME PARECE QUE ESTOS DE LA FÁBRICA DE SWEATERS LE ESTÁN PONIENDO ALGO RARO AL AGUA.

AYER SOÑÉ CON ALGO, PERO NO ME ACUERDO BIEN DE QUÉ ERA.
LO ÚNICO QUE RECUERDO ES QUE EN EL SUEÑO HABÍA ALGO TAAAAN LINDO...
TANTO QUE ME DABAN GANAS DE REÍR Y LLORAR AL MISMO TIEMPO.
ME ACUERDO DE LA EMOCIÓN... PERO NADA MÁS. OJALÁ ALGÚN DÍA ME ACUERDE.
Y ALGÚN DÍA...

YA SÉ... ¿Y SI SE PONE DE ESPALDAS, PERO CON UNA LEVE TORSIÓN, ASÍ MIRA A LA CÁMARA?
¡GENIAL IDEA AMIGO!
¿ME DESVISTO?
CÓMO NACEN LAS TAPAS DEL 80% DE LAS REVISTAS

ESTOY LEYENDO UN LIBRO DE PABLO DE SANTIS QUE SE LLAMA "EL INVENTOR DE JUEGOS."
HAY UN COLEGIO QUE SE HUNDE, UNA CHICA QUE DESAPARECE, JUEGOS QUE DURAN PARA SIEMPRE, PERSONAJES...
...EXTRAÑOS, LABERINTOS IMPOSIBLES, ESCRIBAS DE SUEÑOS.
ESO ES LO BUENO DE ALGUNAS PERSONAS... TE PRESTAN UN RATO SU IMAGINACIÓN PARA QUE AGRANDES LA TUYA.

HOY COSAS QUE, A LO MEJOR, LE PASARON A PICASSO
DISCULPE... ME PARECE QUE LO CONOZCO DE ALGÚN LADO.

POR SUPUESTO AMIGO. MI NOMBRE ES PABLO RUIZ PICASSO... PADRE DEL ARTE MODERNO, CREADOR DEL CUBISMO. AUTOR DEL "GUERNICA" Y DE "LES DEMOISELLES D'AVIGNON".

NO, NO, NO... NO ME SUENA.

¿ESTÁ SEGURO DE QUE NO HIZO LA COLIMBA CONMIGO?

HOY COSAS QUE, A LO MEJOR, LE PASARON A PICASSO
OH NO... AHÍ VIENEN BRETON Y DALÍ.

HOLA PABLO... DECIME SI CONOCÉS ÉSTE ... DICE QUE VAN DOS DADAÍSTAS Y UNO LE DICE A OTRO...

..."¿CUÁL ES EL COLMO DE UN BOMBERO?" Y EL OTRO LE CONTESTA: "EL PESCADO".
JA JA JA.

VAMOS A PONERLE UNA CORBATA A UN PATO, ANDRÉ...
CHAU PABLO.
SURREALISTAS...

HOY COSAS QUE, A LO MEJOR, LE PASARON A PICASSO

¡VOILÁ!

OH NO ... ¡QUÉ CHAMBÓN!
¡PINTÉ UN MONDRIAN!

¡MARY POPPINS!

¿SABÉS LO QUE ES EL "HORROR VACUI"?

HOY: LA VACA CINÉFILA DEVELA MÁS LUGARES COMUNES DEL MUNDO DEL CELULOIDE.
♪♪♫ *
* TEMA DE LA 20TH CENTURY FOX
EN LAS PELÍCULAS AMERICANAS TODOS LOS TELÉFONOS EMPIEZAN CON 555.
LA GENTE MANEJA DE NOCHE CON LA LUZ DE ADENTRO DEL AUTO ENCENDIDA.
CUANDO ALGUIEN TIENE UNA PESADILLA SE DESPIERTA SENTÁNDOSE DE GOLPE... A MÍ ESTO NO ME PASÓ NUNCA.
EN VARIAS PELÍCULAS EL PRESIDENTE AMERICANO ES PROGRE Y DE RAZA NEGRA*... EN LA REALIDAD... EH... NO.
* A LO MORGAN FREEMAN.

EN EL AJETREO COTIDIANO DE LA CIUDAD, DOS IDEAS CAMINAN DE LA MANO... NADIE LAS VE

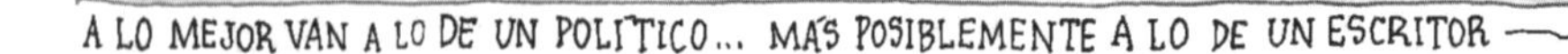

TROPEZÓSE VENTIMIGLIA UN DÍA... ¡ARRIBA VENTIMIGLIA! ¡AGARRE ESAS PELOTITAS Y EMPIECE DE NUEVO!

HOY HAY COSAS QUE, A LO MEJOR LE PASARON A PICASSO.
GARÇON.

¿PUEDE TRAER LA CUENTA, POR FAVOR?

PERO DEJE MAESTRO... ¿POR QUÉ NO NOS HACE UN DIBUJITO EN UNA SERVILLETA Y QUEDAMOS A MANO?

¿PERO USTED QUÉ QUIERE, QUE LE PAGUE LA CUENTA O QUE LE COMPRE EL RESTAURANT?

NADA...
ESTOY USANDO UN SHAMPOO NUEVO.

AHÍ VA EL MISTERIOSO HOMBRE DE NEGRO.

¡QUÉ MISTERIOSO QUE ES!

LE ESTA DICIENDO ALGO A ESA OVEJA...

AHORA SE VA... ¿QUÉ LE HABRÁ DICHO?

PERO A LA NOCHE, Z-25, EL ROBOT SENSIBLE, NO SUEÑA PORQUE NO ESTÁ PROGRAMADO PARA ESO.

VIDA ARDUA, DIFÍCIL, SACRIFICADA
VIDA DURA, COMPLICADA, AGOTADORA
artistas
ANARQUISTAS
INFANCIA

¿Y QUÉ SE SUPONE QUE SON USTEDES?

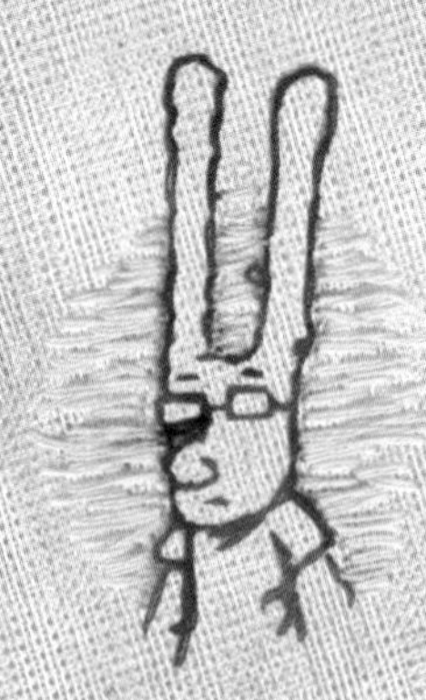

Gracias a todos los lectores de Macanudo, hacen que mi trabajo sea este.
Nunca imaginé que mi trabajo sería este...
A los historietistas que me hacen querer dibujar.
A mis amigos.

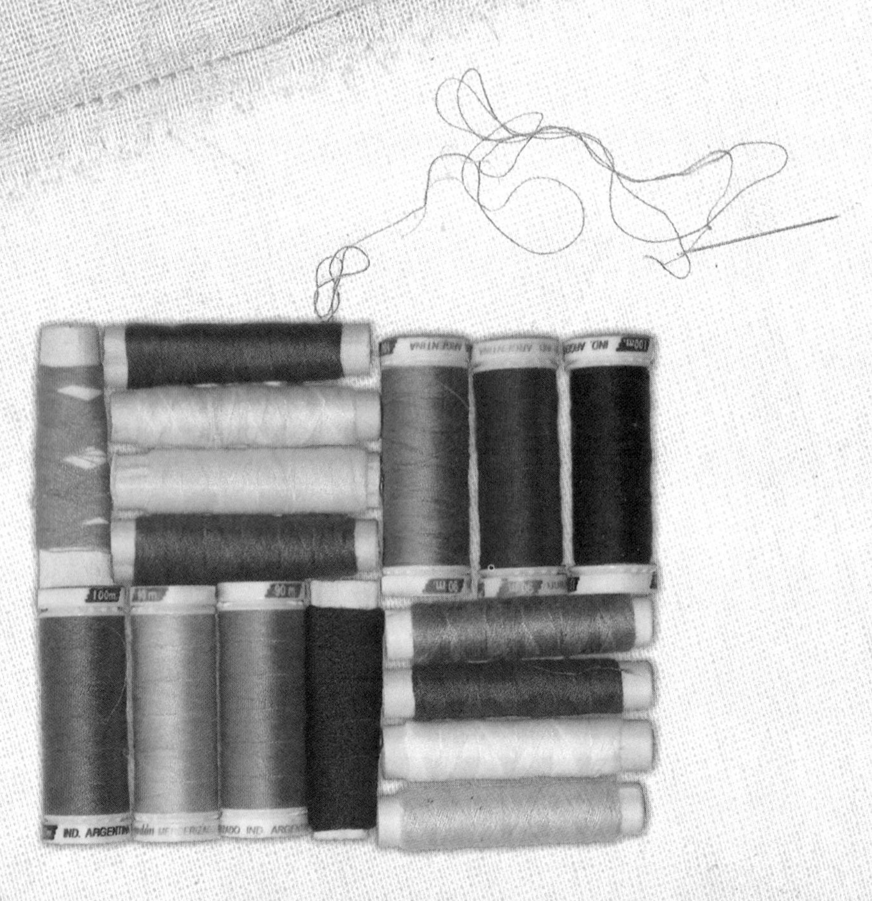

Edición impresa en Casano Gráfica S.A.,
Ministro Brin 3932 (B1826DFY), Remedios de Escalada,
Buenos Aires, Argentina, 2000 ejemplares
en marzo de 2016.